HERZLICH WILLKOMMEN IN DER „KINDERLEICHTEN BECHERKÜCHE"!

Wir wünschen Ihnen viel Spaß und Freude mit der „Kinderleichten Becherküche"! Mit diesem Backbuch fördern Sie nicht nur die Eigenständigkeit Ihrer Kinder, sondern unterstützen auch ihre natürliche Neugier durch Erfolgserlebnisse beim Kochen und Backen.

Kinder lieben es, in der Küche zu helfen und Speisen selbst zuzubereiten. Mit der „Kinderleichten Becherküche" können jetzt auchschon Vorschulkinder selbstständig backen und erleben, wie Brot und Kuchen mit „natürlichen" Lebensmitteln hergestellt werden. In einer Zeit, in der Tiefkühlkost und Fertiggerichte die Ernährung in vielen Familien prägen, ist dies eine sehr wertvolle Erfahrung und legt den Grundstein für das zukünftige Ernährungsverhalten Ihrer Kinder.

Mit den unterschiedlich großen und farbigen Bechern gelingt es den Kindern eigenständig, die Zutaten abzumessen und einen Teig herzustellen. In einer übersichtlichen Bild-für-Bild-Anleitung wird jeder einzelne Schritt dargestellt und führt so die Kinder durch das Rezept. Mit dieser Herangehensweise an das Backen lernt ihr Kind den Umgang mit Zahlen und Mengen, eine Reihenfolge einzuhalten sowie zu ordnen und zu sortieren. Auch wenn das selbstständige Zubereiten im Vordergrund steht, können Sie Ihrem Kind natürlich gern Hilfestellungen geben, sollte es einmal nicht weiterwissen.

Probieren Sie jetzt die „Kinderleichte Becherküche" aus und lassen Sie Ihr Kind viele schöne Erfahrungen sammeln!

Viel Spaß!

Birgit Wenz

Die Idee zum Buch „Kinderleichte Becherküche" hatte Birgit Wenz während ihrer Elternzeit. Die Erzieherin ist Mutter von zwei Söhnen und so liegen ihr Ernährungserziehung und die Förderung von Eigenständigkeit sowohl beruflich als auch privat sehr am Herzen.

Seit über zehn Jahren betreut Birgit Wenz Kinder im Vorschulalter und hat oft viel Zeit in die Vorbereitung von Koch- und Backangeboten investiert. Mit ihrem Konzept möchte sie jetzt nicht nur Kindertageseinrichtungen, sondern auch Familien begeistern. Unterstützung erhält sie dabei von ihrem Mann Stefan Wenz, der sich um den Vertrieb und das Marketing kümmert. Zusammen sind sie ein unschlagbares Team!

DIE HÖHLE DER LÖWEN

KÜCHENHITS FÜR KIDS – EINE ERFOLGSSERIE!

Auf der Suche nach einem Kapitalgeber für die Umsetzung der „Kinderleichten Becherküche" wagte Birgit Wenz den mutigen Schritt und stellte ihr Kinderbackbuch in der Gründer-Show „Die Höhle der Löwen" beim Fernsehsender VOX vor.

Hier bekommen Erfinder und Unternehmensgründer die einmalige Gelegenheit, ihre innovativen Geschäftsideen vor finanzstarken Investoren zu präsentieren und sie davon zu überzeugen, in ihr Startup zu investieren und sie mithilfe ihres Wissens und ihrer Erfahrung fachlich zu begleiten.

Birgit Wenz nutzte ihre Chance, konnte die Unternehmer von sich überzeugen und vor allem Investor Ralf Dümmel mit ihrem Konzept begeistern – ein Konzept, auf das die kleinen und großen Bäckerinnen und Bäcker schon lange gewartet haben!

GEBURTSTAGSKUCHEN

AMEISENKUCHEN

MUTTERTAGSTALER

PLÄTZCHEN

MUFFINS

WECKMÄNNER

HEFERAUPEN

WAFFELN

PIRATENKUCHEN

SCHOKO CROSSIES

MÜSLI

BRÖTCHENSONNE

SCHMETTERLINGSBRÖTCHEN

DINKELBROT

PIZZA

INHALT

SO FUNKTIONIERT DIE „KINDERLEICHTE BECHERKÜCHE"

Aufbau des Buches

Jedes der 15 Rezepte besteht aus einer Übersicht mit Zutaten- und Materialliste sowie einer mehrseitigen Schritt-für-Schritt-Bildanleitung – übersichtlich strukturiert und leicht verständlich.

Vorbereitung

Zutaten wie z.B. Mehl, Zucker, Milch, oder Öl in ausreichender Menge bereitstellen, ohne diese vorher abzuwiegen bzw. abzumessen. Beispiel:
Für 280 g Mehl einfach eine ganze Packung Mehl (1 kg) vorbereiten.

Das benötigte Material aus der Rezeptübersicht bereitstellen.

Anleiten des Kindes bzw. der Kinder

Der Erwachsene und das Kind betrachten den 1. Arbeitsschritt und besprechen diesen. Nachdem das Kind die Aufgabe verstanden hat, sollte es sie selbstständig ausführen. Die Aufgabe des Erwachsenen ist es, sich begleitend im Hintergrund zu halten und lediglich Hilfestellung zu geben, wenn das Kind allein nicht mehr weiterkommt. Mit den weiteren Arbeitsschritten wird ebenso verfahren. Beim Umgang mit Elektrogeräten muss das Kind jedoch sorgfältig von Erwachsenen beaufsichtigt werden. Bitte beachten Sie zudem die Bedienungsanleitungen der verwendeten Küchengeräte.

RATGEBER ZUTATEN

Milch
Stets zimmerwarme Milch verwenden, ca. 23 °C.

Mehl
Bei allen Rezepten wird Weizenmehl Type 405 verwendet.

Wasser
Immer lauwarmes Wasser verwenden, ca. 35 °C.

Eier
Entsprechen der Größe M.

Butter
Die Butter frühzeitig vor dem Backen aus dem Kühlschrank nehmen. Bei Zimmertemperatur lässt sie sich einfacher verarbeiten und verbindet sich am besten mit den anderen Zutaten.

ABMESSEN DER ZUTATEN

Mehl

Zum einfachen Abmessen das Mehl in einen großen Vorratsbehälter füllen. Den Becher gehäuft füllen. Anschließend mit einem Messer überschüssiges Mehl einfach in den Vorratsbehälter abstreifen, damit der Becher randvoll gefüllt ist.

Weitere Zutaten

Den passenden Becher stets bis zum Rand füllen. Es gibt keinen Eichstrich oder Ähnliches.

HINWEISE

Vorsicht beim Umgang mit Elektrogeräten!

Es liegt im Ermessen des Erwachsenen, inwieweit das Kind selbstständig das Rührgerät benutzen darf. Ebenso entscheidet der Erwachsene über den Umgang mit dem heißen Backofen. Bitte beachten Sie die Anweisungen in den Bedienungsanleitungen der jeweiligen Elektrogeräte hinsichtlich der Bedienung durch Kinder.

Teig kneten

Teig kneten, sowohl mit der Hand als auch mit dem Rührgerät, ist für Kinder oft schwer. Hier muss meist ein Erwachsener unterstützen.

Teig auswellen

Manchmal ist es schwierig und erfordert viel Kraft, einen Teig dünn auszuwellen. Die Unterstützung und Hilfe eines Erwachsenen ist hier wichtig.

Backofen

Die Temperatur des Backofens ist auf Ober- und Unterhitze ausgelegt. Der Rost oder das Backblech gehören immer in die unterste Schiene im Ofen.

Eier trennen

Eier trennen können Kinder in diesem Alter meist noch nicht. Deshalb wird darauf verzichtet. Brötchen können ebenso mit einem ganzen Ei bestrichen werden.

Becherset

Das Becherset ist lebensmittelecht und spülmaschinengeeignet.

GEBURTSTAGSKUCHEN

Ergibt: 1 runder Kuchen
Zubereitungszeit: ca. 50 min • Backzeit: 35 min

ZUTATEN

280 g Weizenmehl

200 g Zucker

4 Eier

125 ml Sonnenblumenöl

180 ml Multivitaminsaft

1 Päckchen Backpulver

250 g Puderzucker

Gummibären

Zuckerstreusel

MATERIAL

- Becherset
- Wecker
- Rührschüssel
- Glas zum Eiaufschlagen
- Rührgerät, Rührbesen
- Messer, Gabel, Löffel
- Runde Kuchenform (26 cm)
- Backpapier
- Topflappen
- Schürze

1

Vier Eier aufschlagen und in die Rührschüssel geben.

Zwei rote Becher Zucker auf die Eier streuen.

3

Die Zutaten mit dem Rührgerät mit Rührbesen 5 Minuten schaumig rühren.

4

Zwei blaue Becher Mehl in die Schüssel geben.

5

Ein Päckchen Backpulver dazugeben.

6

Einen roten Becher Sonnenblumenöl in die Schüssel gießen.

7

Einen roten Becher Multivitaminsaft dazugeben.

Alle Zutaten mit dem Rührgerät mit Rührbesen zu einem glatten Teig verrühren.

9

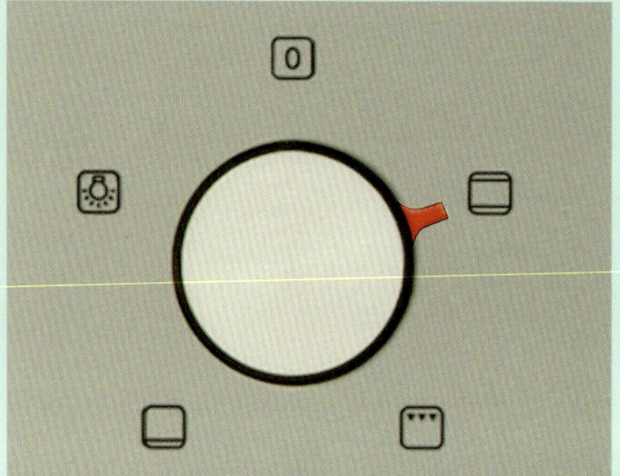

Den Backofen auf 180 °C
Ober- / Unterhitze vorheizen.

10

Den Teig in die mit Backpapier belegte
Form füllen und glatt streichen.

11

Die Form auf dem Rost in den vorgeheizten Ofen schieben. Den Wecker auf 35 Minuten einstellen und den Kuchen backen.

12

Wenn der Wecker ertönt, den fertigen Kuchen mit Topflappen aus dem Ofen nehmen und auskühlen lassen.

13

Eine Packung Puderzucker in die Schüssel geben.

Zwei orange Becher Mulitvitaminsaft hinzufügen.

15

Die Zutaten mit der Gabel zu einer glatten, dicken Glasur rühren.

Den Zuckerguß auf dem Kuchen verteilen.

17

Den Kuchen mit Gummibären verzieren.

18

Den Kuchen mit Zuckersteusel bestreuen.

Happy
Birthday

AMEISENKUCHEN

Ergibt: 1 Kuchen
Zubereitungszeit: ca. 30 min • Backzeit: 60 min

ZUTATEN

280 g Weizenmehl

200 g Zucker

250 g Butter

4 Eier

125 ml Milch
(Zimmertemperatur)

1 Päckchen Backpulver

100 g Schokoraspel

MATERIAL

- Becherset
- Wecker
- Rührschüssel
- Glas zum Eiaufschlagen
- Rührgerät, Schaumschläger
- Messer, Löffel
- Kastenform mit Backpapier
- Schere
- Topflappen
- Schürze

1

Eine Butter in die Rührschüssel geben.

2

Zwei rote Becher Zucker auf die Butter streuen.

3

Vier Eier aufschlagen und hinzufügen.

4

Die Zutaten mit dem Rührgerät mit Rührbesen 5 Minuten geschmeidig rühren.

5

Einen roten Becher zimmerwarme Milch in die Schüssel gießen.

Zwei blaue Becher Mehl dazugeben.

Vier gelbe Löffel Backpulver hinzufügen.

Einen blauen Becher Schokoraspel in die Schüssel geben.

9

Alle Zutaten verrühren, bis eine gebundene Masse entstanden ist.

10

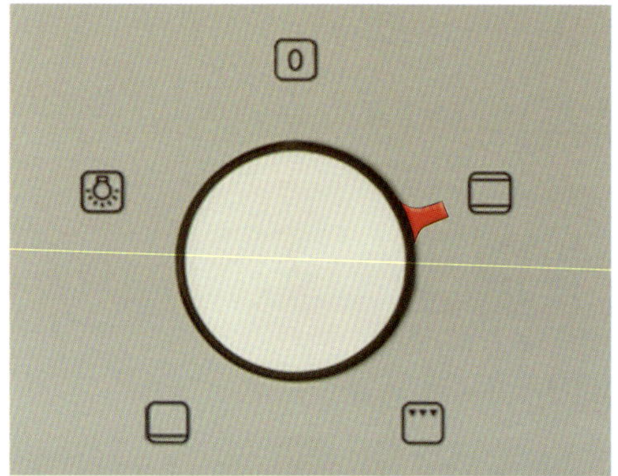

Den Backofen auf 180 °C Ober- / Unterhitze vorheizen.

11

Das Backpapier in die Kastenform legen.

12

Den Teig in die Form füllen.

13

Die Form auf dem Rost in den vorgeheizten Backofen schieben. Den Wecker auf 60 Minuten einstellen und den Kuchen backen.

14

Wenn der Wecker ertönt, den fertigen Kuchen mit Topflappen aus dem Ofen nehmen.

MUTTERTAGSTALER

Ergibt: 25 Stück
Zubereitungszeit: ca. 80 min • Backzeit: 15 min

ZUTATEN

560 g Weizenmehl

100 g Zucker

250 g Butter

3 Eier

1 Päckchen Backpulver

Himbeermarmelade

MATERIAL

Becherset
Wecker
Rührschüssel
Glas zum Eiaufschlagen
Nudelholz
Ausstechformen
Messer
Backblech mit Backpapier
Schürze
Topflappen

1

Die Butter klein schneiden und in die Schüssel geben.

Einen roten Becher Zucker hinzufügen.

3

Vier blaue Becher Mehl in die Schüssel geben.

4

Drei Eier aufschlagen und in die Schüssel geben.

5

Einen gelben Löffel Backpulver hinzufügen.

Die Zutaten mit der Hand zu einem geschmeidigen Teig kneten.

7

Einen orangefarbenen Becher Mehl auf der Arbeitsfläche verteilen.

8

Den Backofen auf 180 °C Ober- / Unterhitze vorheizen.

9

Den Teig mit dem Nudelholz ausrollen.

Mit dem Ausstecher Herzen ausstechen und auf das mit Backpapier belegte Blech legen.

11

Die Hälfte der Herzen in der Mitte mit einem ausgestochenen Kreis versehen.

Das Blech mit den Plätzchen in den Ofen schieben. Den Wecker auf 13 Minuten einstellen und die Herzen backen.

13

Wenn der Wecker klingelt, das Blech mit Topflappen aus dem Ofen nehmen.

14

Einen gelben Löffel Himbeermarmelade auf die ausgekühlten Herzen geben.

15

Die Marmelade mit dem Messer verteilen. Auf jedes Marmeladenherz ein Herz mit Loch legen. Fertig!

PLÄTZCHEN

Ergibt: 60 Stück
Zubereitungszeit: ca. 80 min • Backzeit: 13 min

ZUTATEN

420 g Mehl

200 g Zucker

250 g Butter

2 Eier

Zuckerstreusel

MATERIAL

Becherset
Wecker
Rührschüssel
Glas zum Eiaufschlagen
Backblech mit Backpapier
Nudelholz
Messer, Gabel
Ausstechformen
Pinsel
Schere
Topflappen
Schürze

Drei blaue Becher Mehl in die Schüssel geben.

Zwei rote Becher Zucker hinzufügen.

3

Die ganze Butter klein schneiden und in die Schüssel geben.

4

Ein Ei aufschlagen und hinzufügen.

5

Die Zutaten mit der Hand zu einem geschmeidigen Teig kneten.

6

Das Backblech mit Backpapier belegen.

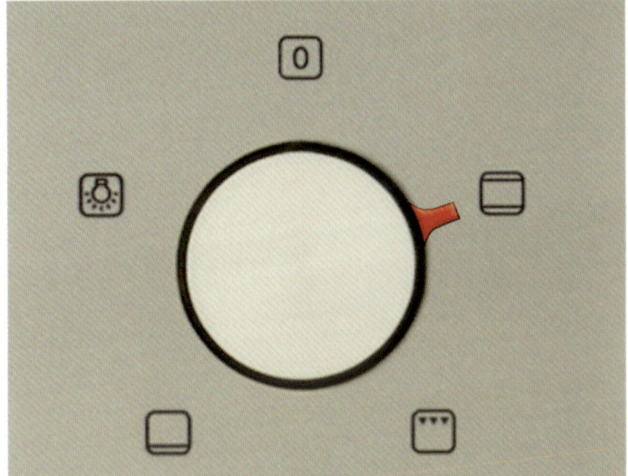

Den Backofen auf 180 °C
Ober- / Unterhitze vorheizen.

Einen orangefarbenen Becher Mehl auf der Arbeitsfläche verteilen.

9

Den Teig mit dem Nudelholz ausrollen.

10

Die Plätzchen ausstechen und auf das Backblech legen.

11

Ein Ei aufschlagen und mit der Gabel verquirlen.

Die Plätzchen mit Ei bestreichen.

13

Die Plätzchen mit Zuckerstreusel verzieren.

14

Das Blech mit den Plätzchen in den Ofen schieben. Den Wecker auf 13 Minuten einstellen und die Plätzchen backen.

15

Wenn der Wecker ertönt, das Blech mit den gebackenen Plätzchen mit Topflappen aus dem Ofen nehmen. Fertig!

MUFFINS

Ergibt: 12 Stück
Zubereitungszeit: ca. 40 min • Backzeit: 20 min

ZUTATEN

210 g Weizenmehl

100 g Zucker

3 Eier

125 ml Sonnenblumenöl

125 ml Wasser (lauwarm)

50 g gemahlene Haselnüsse

50 g Kakaogetränke-pulver

1 Päckchen Backpulver

MATERIAL

- Becherset
- Wecker
- Rührschüssel
- Glas zum Eiaufschlagen
- Rührgerät, Rührbesen
- Messer, Löffel
- Muffinform mit Papierförmchen
- Schere
- Topflappen
- Schürze

1

Drei Eier aufschlagen und in die Rührschüssel geben.

Einen roten Becher Zucker auf die Eier streuen.

3

Die Zutaten mit dem Rührgerät mit Rührbesen 5 Minuten schaumig rühren.

4

Drei rote Becher Mehl in die Schüssel geben.

5

Zwei gelbe Löffel Backpulver dazugeben.

Einen roten Becher gemahlene Haselnüsse in die Schüssel geben.

7

Einen roten Becher lauwarmes Wasser dazugeben.

8

Einen roten Becher Sonnenblumenöl in die Schüssel gießen.

9

Drei orange Becher Kakaogetränkepulver hinzufügen.

10

Alle Zutaten mit dem Rührgerät mit Rührbesen zu einem glatten Teig verrühren.

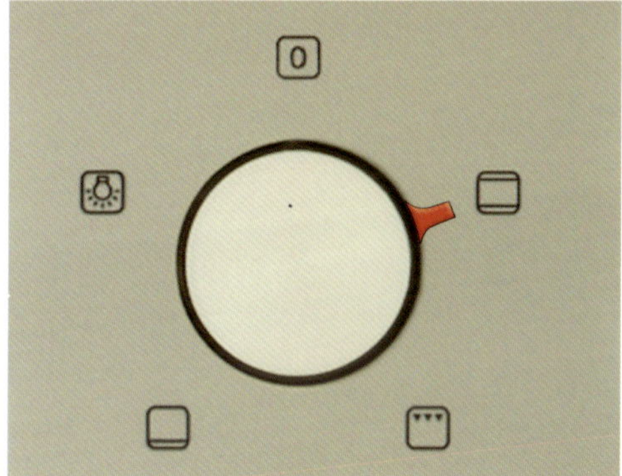

Den Backofen auf 180 °C
Ober- / Unterhitze vorheizen.

Die Papierförmchen in die Muffin-Form legen.

13

Den Teig mit dem orangen Becher auf die Förmchen verteilen.

14

Die Form auf dem Rost in den vorgeheizten Ofen schieben. Den Wecker auf 20 Minuten einstellen und die Muffins backen.

15

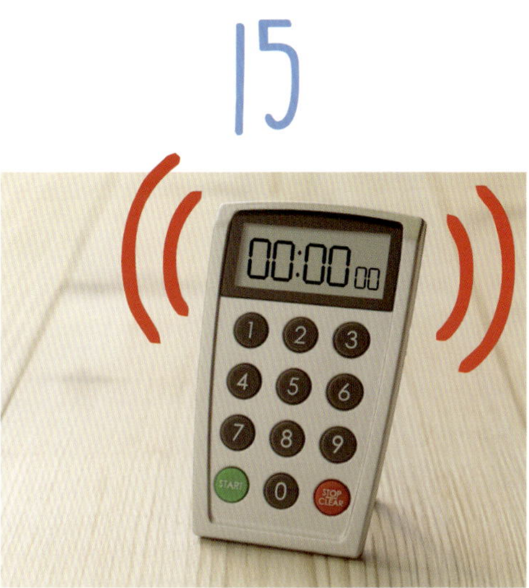

Wenn der Wecker ertönt, die fertigen Muffins mit Topflappen aus dem Ofen nehmen. Fertig!

WECKMÄNNER

Ergibt: 8 Stück
Zubereitungszeit: ca. 50 min • Backzeit: 20 min

ZUTATEN

420 g Weizenmehl

100 g Zucker

250 g Magerquark

2 Eier

60 ml Milch
(Zimmertemperatur)

60 ml Sonnenblumenöl

1 Packung Vanillezucker

1 Päckchen Backpulver

MATERIAL

Becherset
Wecker
Rührschüssel
Glas zum Eiaufschlagen
Rührgerät, Knethaken
Backblech, Backpapier
Messer, Gabel, Löffel
Pinsel
Schere
Topflappen
Schürze

1

Drei blaue Becher Mehl in die Schüssel geben.

2

Eine Packung Speisequark hinzufügen.

3

Zwei orangene Becher zimmerwarme Milch in die Schüssel gießen.

4

Zwei orangene Becher Sonnenblumenöl in die Schüssel gießen.

5

Ein Ei aufschlagen und hinzufügen.

Einen roten Becher Zucker in die Schüssel geben.

7

Ein Päckchen Vanille Zucker hinzufügen.

8

Ein Päckchen Backpulver in die Schüssel geben.

9

Die Zutaten mit dem Rührgerät mit Knethaken rühren und zu einem festen Teig verarbeiten.

10

Den Teig auf die Arbeitsfläche legen und in 8 gleich große Stücke teilen.

11

Das Backpapier auf das Blech legen.

Die Teigkugel durchkneten, auf das mit Backpapier belegte Blech legen und mit den bemehlten Fingern zu einem ovalen Brötchen formen.

13

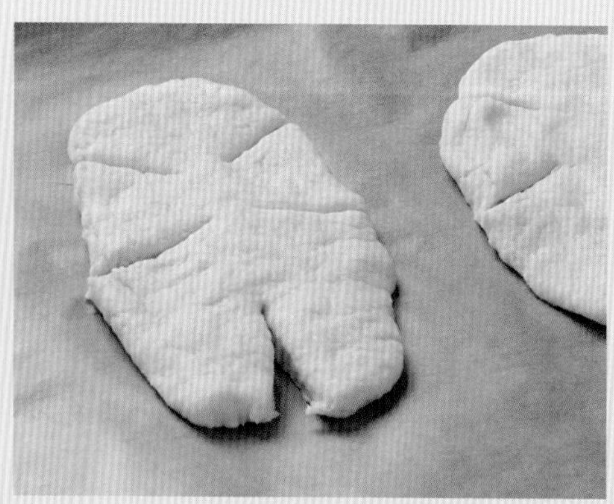

Mit dem Messer Kopf, Arme und Beine einschneiden.

14

Mit den bemehlten Fingern Kopf, Arme und Beine formen.

15

Den Backofen auf 180 °C
Ober- / Unterhitze vorheizen.

Ein Ei aufschlagen und mit der Gabel verquirlen.

17

Die Weckmänner mit Ei bestreichen.

Die Weckmänner mit Schokotropfen verzieren.

19

Das Blech mit den Weckmännern in den Ofen schieben. Den Wecker auf 20 Minuten einstellen und die Weckmänner backen.

20

Wenn der Wecker klingelt, die gebackenen Weckmänner auf dem Blech mit Topflappen aus dem Ofen nehmen. Fertig!

HEFERAUPEN

Ergibt: 6-8 Stück

Zubereitungszeit: ca. 40 min • Ruhezeit: 30 min • Backzeit: 20 min

ZUTATEN

560 g Weizenmehl

100 g Zucker

3 Eier

1 Würfel Hefe

250 ml Milch
(Zimmertemperatur)

80 g Margarine

Schokotropfen

MATERIAL

Becherset
Wecker
Rührschüssel
Glas zum Eiaufschlagen
Rührgerät, Knethaken
Nudelholz
Backblech, Backpapier
Tuch zum Abdecken
Messer, Gabel, Löffel
Pinsel
Schere
Topflappen
Schürze

1

Einen Würfel Hefe zerbröseln und in die Schüssel streuen.

Einen blauen Becher zimmerwarme Milch in die Schüssel gießen.

Einen roten Becher Zucker hinzufügen.

4

Die Zutaten rühren und die Hefe in der zimmerwarmen Milch aufösen.

Vier blaue Becher Mehl in die Rührschüssel geben.

Zwei grüne Löffel Margarine hinzufügen.

7

Zwei Eier aufschlagen und in die Schüssel geben.

8

Alle Zutaten mit dem Rührgerät mit Knethaken 5 Minuten vermischen und zu einem festen, glatten Teig kneten.

9

Die Schüssel mit einem Tuch abdecken. Den Wecker auf 30 Minuten einstellen und den Teig solange ruhen lassen.

10

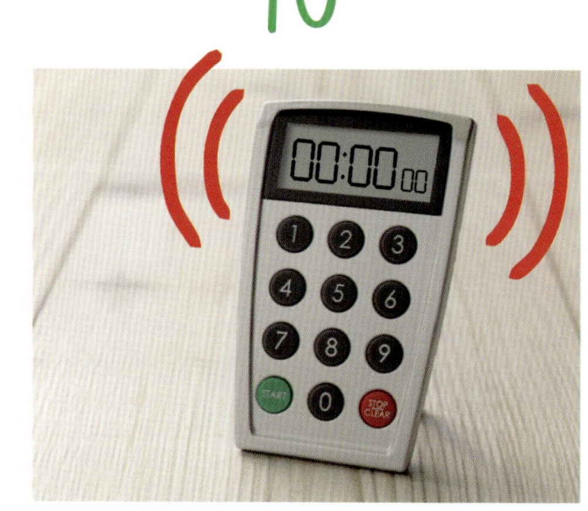

Wenn der Wecker klingelt, das Tuch von der Rührschüssel nehmen.

11

Das Backpapier auf das Backblech legen.

12

Einen grünen Löffel Mehl auf der Arbeitsfläche verteilen.

13

Den Teig vorsichtig mit einem Nudelholz auswellen.

14

Mit dem Glas Kreise ausstechen. Je vier Kreise auf dem Backblech zu einer Raupe zusammenlegen.

15

Den Backofen auf 180 °C
Ober- / Unterhitze vorheizen.

Ein Ei aufschlagen und mit der Gabel verquirlen.

17

Die Heferaupen mit Ei bestreichen.

18

Die Raupen mit Schokotropfen verzieren.

19

Das Blech mit den Raupen in den Ofen schieben. Den Wecker auf 20 Minuten einstellen und die Heferaupen backen.

20

Wenn der Wecker klingelt, die gebackenen Raupen auf dem Blech mit Topflappen aus dem Ofen nehmen. Fertig!

WAFFELN

Ergibt: ca. 10 Stück
Zubereitungszeit: ca. 10 min • Backzeit: ca. 3 min

ZUTATEN

280 g Weizenmehl

100 g Zucker

3 Eier

2 Becher Crème fraîche

125 ml Milch
(Zimmertemperatur)

1 Päckchen Backpulver

Puderzucker

MATERIAL

- Becherset
- Rührschüssel
- Glas zum Eiaufschlagen
- Rührgerät, Rührbesen
- Waffeleisen
- Messer, Gabel, Löffel
- Topflappen
- Schürze

1

Zwei Becher Crème fraîche in die Rührschüssel geben.

2

Einen roten Becher Zucker hinzufügen.

3

Drei Eier aufschlagen und in die Schüssel geben.

Zwei blaue Becher Mehl hinzufügen.

5

Einen gelben Löffel Backpulver hinzufügen.

Einen roten Becher zimmerwarme Milch in die Schüssel gießen.

7

Die Zutaten mit dem Rührgerät mit Rührbesen zu einem glatten Teig verrühren.

Teig in das Waffeleisen gießen und den Deckel des Gerätes schließen.

9

Die gebackene Waffel mit einer Gabel aus dem Waffeleisen nehmen und auf einen Teller legen.

10

Die Waffel mit Puderzucker bestäuben.

PIRATENKUCHEN

Ergibt: 1 Kuchen
Zubereitungszeit: ca. 30 min • Backzeit: 60 min

ZUTATEN

350 g Mehl

200 g Zucker

250 g Margarine

4 Eier

Kakao

2 Päckchen Vanille Zucker

1 Päckchen Backpulver

4 reife Bananen

MATERIAL

- Becherset
- Wecker
- Rührschüssel
- Glas zum Eiaufschlagen
- Rührgerät, Rührbesen
- Messer, Gabel, Löffel
- Teller
- Kastenform mit Backpapier
- Topflappen
- Schürze

1

Vier Eier aufschlagen und in die Rührschüssel geben.

2

Zwei Päckchen Vanille Zucker hinzufügen.

3

Einen blauen Becher Zucker auf die Eier streuen.

4

Die Zutaten mit dem Rührgerät mit Rührbesen 5 Minuten schaumig rühren.

5

Eine Packung Margarine in die Schüssel geben.

Fünf rote Becher Mehl in die Schüssel geben.

7

Ein Päckchen Backpulver dazugeben.

Drei grüne Löffel Kakao hinzufügen.

9

Die vier Bananen schälen.

10

Die Bananen mit der Gabel zerdrücken und in die Schüssel geben.

11

Alle Zutaten mit dem Rührgerät mit Rührbesen zu einem glatten Teig verrühren.

12

Den Backofen auf 180 °C Ober- / Unterhitze vorheizen.

13

Den Teig in die mit Backpapier belegte Form füllen und glatt streichen.

14

Die Form auf dem Rost in den vorgeheizten Ofen schieben. Den Wecker auf 60 Minuten einstellen und den Kuchen backen.

15

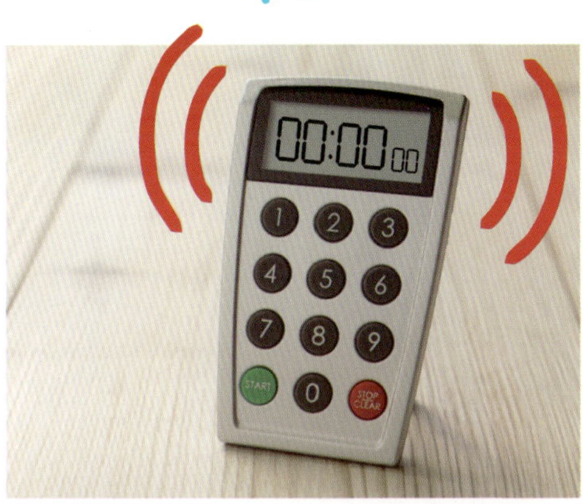

Wenn der Wecker klingelt, den gebackenen Kuchen mit Topflappen aus dem Ofen nehmen.

16

Die Piratenfahne in den Kuchen stecken. Fertig!

DIE BASTELVORLAGE FÜR DIE PIRATENFAHNE GIBT ES ZUM DOWNLOAD UNTER **www.becherkueche.de**

SCHOKO CROSSIES

ca. 25 Stück

Zubereitungszeit: ca. 20 min • Backzeit: keine

ZUTATEN

250 g Kuchenglasur

40 g Cornflakes

80 g gehackte Mandeln

MATERIAL

Becherset
Wecker
2 Schüsseln
Wasserkocher
Backpapier
1 großer Löffel, 2 kleine Löffel
Schürze

1

Heißes Wasser in eine Schüssel geben und die Schokoglasur für 10 Minuten hineinstellen.

2

Zwei rote Becher Cornflakes in die Schüssel geben.

Einen roten Becher gehackte Mandeln auf die Cornflakes schütten.

Wenn der Wecker klingelt, die geschmolzene Schokolade über die Zutaten gießen.

5

Die Zutaten mit dem Löffel vermischen.

6

Mit zwei kleinen Löffeln Häufchen auf ein Backpapier machen. Die Crossies solange abkühlen lassen, bis die Schokolade fest ist.

MÜSLI

Ergibt: ca. 500 g Müsli
Zubereitungszeit: ca. 15 min • Backzeit: 20 min

ZUTATEN

300 g Haferflocken

60 g Sonnenblumenkerne

40 g Kokosraspel

50 g gehobelte Mandeln

60 ml Sonnenblumenöl

60 ml Honig

MATERIAL

- Becherset
- Wecker
- Rührschüssel
- Löffel
- Backblech mit Backpapier
- Schere
- Topflappen
- Schürze

1

Drei blaue Becher Haferflocken in die Schüssel geben.

2

Einen roten Becher Sonnenblumenkerne hinzufügen.

3

Einen roten Becher Kokosraspel in die Schüssel streuen.

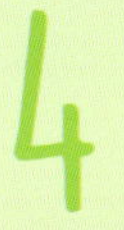

Einen roten Becher gehobelte Mandeln in die Schüssel geben.

5

Zwei orange Becher Sonnenblumenöl über die Zutaten gießen.

6

Zwei orange Becher Honig in die Schüssel geben.

7

Die Zutaten mit dem Löffel vermischen.

8

Den Backofen auf 150 °C
Ober- / Unterhitze vorheizen.

9

Das Backpapier auf das Blech legen.

10

Das Müsli auf dem mit Backpapier belegten Blech verteilen.

11

Das Blech in den vorgeheizten Backofen schieben. Den Wecker auf 10 Minuten einstellen und das Müsli trocknen lassen.

12

Wenn der Wecker klingelt, das Blech mit Topflappen aus dem Ofen nehmen. Die Masse mit dem Löffel wenden.

13

Das Müsli weiter im Ofen knusprig werden lassen. Den Wecker auf 10 Minuten einstellen.

14

Wenn der Wecker klingelt, das getrocknete Müsli auf dem Blech mit Topflappen aus dem Ofen nehmen. Fertig!

BRÖTCHENSONNE

Ergibt: ca. 25 Brötchen • Zubereitungszeit: ca. 15 min
Ruhezeit: 45 min • Backzeit: 25 min

ZUTATEN

420 g Weizenmehl

125 ml Wasser (lauwarm)

30 ml Sonnenblumenöl

1 Würfel Hefe

130 ml Milch
(Zimmertemperatur)

Kürbiskerne,
Sonnenblumenkerne,
Sesam

Salz

MATERIAL

Becherset
Wecker
Rührschüssel
Rührgerät, Knethaken
Backblech mit Backpapier
Tuch zum Abdecken
Messer
Kleines Glas
Pinsel
Topflappen
Schürze

1

Einen Würfel Hefe zerbröseln und in die Schüssel geben.

Einen roten Becher lauwarmes Wasser über die Hefe gießen.

3

Die Hefe umrühren und im lauwarmen Wasser auflösen.

Drei blaue Becher Mehl hinzufügen.

5

Einen roten Becher zimmerwarme Milch in die Schüssel gießen.

Einen orangen Becher Sonnenblumenöl hinzufügen.

7

Einen gelben Löffel Salz in die Schüssel geben.

8

Alle Zutaten mit dem Rührgerät mit Knethaken vermischen und zu einem festen, glatten Teig rühren.

9

Kleine Teigstücke zu Kugeln formen und in Form einer Sonne auf das mit Backpapier belegte Backblech legen.

Das Blech mit den Brötchen mit einem Tuch abdecken. Den Wecker auf 45 Minuten einstellen und den Teig solange ruhen lassen.

11

Wenn der Wecker klingelt, das Tuch vom Blech nehmen.

Den Backofen auf 200 °C Ober- / Unterhitze vorheizen.

13

Die Brötchen mit zimmerwarmer Milch bestreichen.

14

Die Brötchen mit Sonnenblumenkernen, Sesam und Kürbiskernen bestreuen.

15

Das Blech mit den Brötchen in den Ofen schieben. Den Wecker auf 25 Minuten einstellen und die Brötchen backen.

16

Wenn der Wecker klingelt, die gebackenen Brötchen auf dem Blech mit Topflappen aus dem Ofen nehmen. Fertig!

SCHMETTERLINGS-BRÖTCHEN

Ergibt: 8 Stück
Zubereitungszeit: ca. 40 min • Backzeit: 20 min

ZUTATEN

420 g Weizenmehl

Salz

1 Päckchen Backpulver

50 g Margarine

1 Ei

250 ml Milch
(Zimmertemperatur)

60 ml Wasser (lauwarm)

MATERIAL

Becherset
Wecker
Rührschüssel
Glas zum Eiaufschlagen
Rührgerät, Knethaken
Backblech, Backpapier
Messer, Gabel
Pinsel
Topflappen
Schürze

1

Drei blaue Becher Mehl in die Schüssel geben.

2

Ein Päckchen Backpulver auf das Mehl streuen.

3

Einen gelben Löffel Salz hinzufügen.

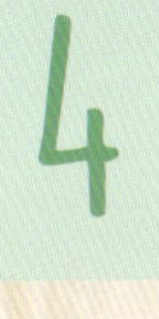

Zwei grüne Löffel Margarine in die Schüssel geben.

5

Einen blauen Becher zimmerwarme Milch in die Schüssel gießen.

Zwei orange Becher lauwarmes Wasser hinzufügen.

7

Die Zutaten mit dem Rührgerät mit Knethaken zu einer Teigkugel kneten.

8

Den Teig auf die Arbeitsfläche legen und in acht gleich große Stücke teilen.

9

Die Teigstücke durchkneten und zu flachen, runden Brötchen formen.

Mit dem Messer die Brötchen in der Mitte durchschneiden. Die Teighälften umdrehen und zu Schmetterlingen zusammenfügen.

Den Backofen auf 200 °C
Ober- / Unterhitze vorheizen.

Ein Ei aufschlagen und mit der Gabel verquirlen.

13

Die Schmetterlingsbrötchen mit Ei bestreichen.

14

Das Blech mit den Brötchen in den Ofen schieben. Den Wecker auf 20 Minuten einstellen und die Brötchen backen.

15

Wenn der Wecker klingelt, die gebackenen Brötchen auf dem Blech mit Topflappen aus dem Ofen nehmen. Fertig!

DINKELBROT

Ergibt: 1 Brot mit ca. 600 g
Zubereitungszeit: ca. 30 min • Ruhezeit: 60 min • Backzeit: 60 min

ZUTATEN

420 g Dinkelmehl Typ 630

1 Würfel Hefe

250 ml Wasser (lauwarm)

60 ml Buttermilch
(Zimmertemperatur)

Salz

MATERIAL

Becherset
Wecker
Rührschüssel
Rührgerät, Knethaken
Kastenform, Backpapier
Messer, Löffel
Tuch zum Abdecken
Topflappen
Schürze

1

Einen Würfel Hefe zerbröseln und in die Schüssel streuen.

2

Zwei rote Becher lauwarmes Wasser über die Hefe gießen.

3

4

Drei blaue Becher Dinkelmehl hinzufügen.

Einen gelben Löffel Salz in die Schüssel geben.

5

Drei orange Becher zimmerwarme Buttermilch in die Schüssel gießen.

6

Die Zutaten mit dem Rührgerät mit Knethaken 5 Minuten zu einem glatten Teig rühren.

7

Die Schüssel mit einem Tuch abdecken. Den Wecker auf 30 Minuten einstellen und den Teig solange ruhen lassen.

8

Wenn der Wecker klingelt, das Tuch von der Rührschüssel nehmen.

9

Den Teig in die mit Backpapier ausgelegte Form füllen und verteilen. Die Backform mit dem Tuch abdecken.

10

Den Wecker auf 30 Minuten einstellen und das Brot solange ruhen lassen.

12

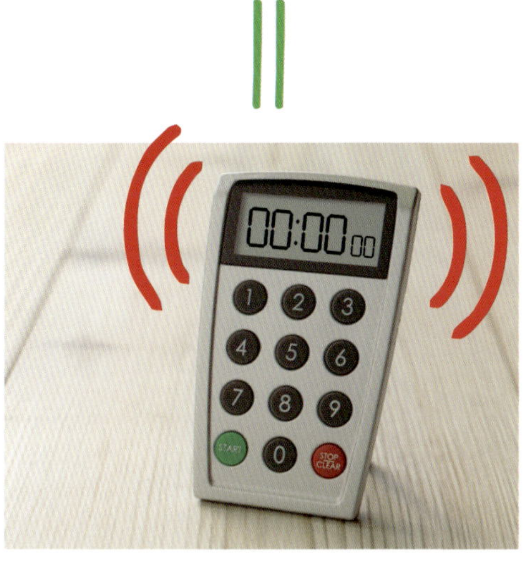

Wenn der Wecker klingelt, das Tuch von der Form nehmen.

Den Backofen auf 240°C Ober- / Unterhitze vorheizen.

13

Die Form auf dem Rost in den vorgeheizten Backofen schieben. Den Wecker auf 10 Minuten einstellen und das Brot solange backen.

14

Wenn der Wecker klingelt, die Temperatur auf 160°C zurückstellen. Den Wecker auf 50 Minuten einstellen und das Brot weiterbacken.

15

Wenn der Wecker klingelt, die Form mit dem fertigen Dinkelbrot mit Topflappen aus dem Ofen nehmen. Fertig!

PIZZA

Ergibt: 1 Blech
Zubereitungszeit: ca. 30 min • Ruhezeit: 30 min • Backzeit: 30 min

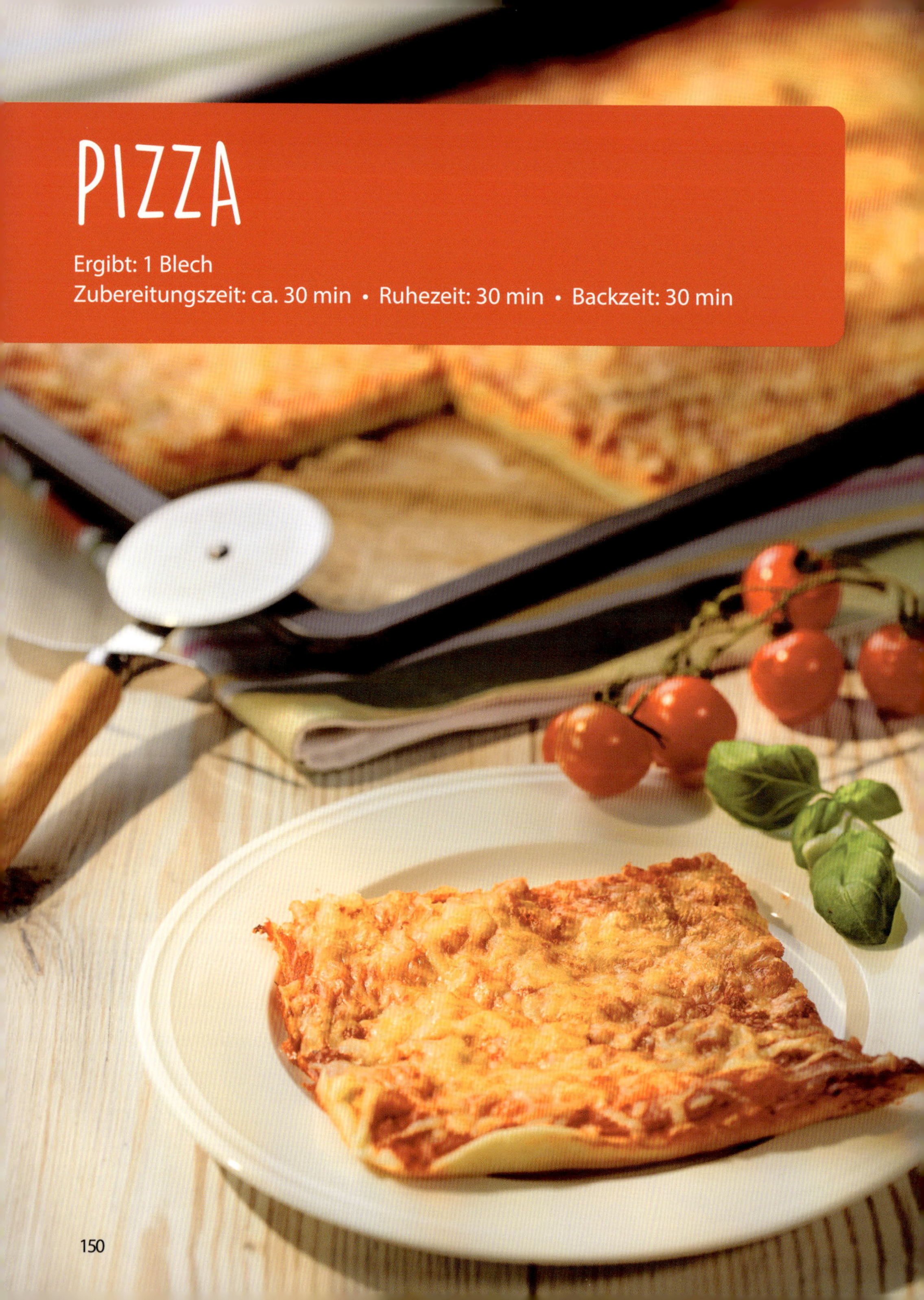

ZUTATEN

420 g Weizenmehl

60 ml Olivenöl

250 ml Wasser (lauwarm)

1 Päckchen Trockenhefe

Salz

1 Glas Tomatensoße

200 g geriebener Käse

GERNE KANN DIE PIZZA MIT WEITEREN LIEBLINGSZUTATEN BELEGT WERDEN.

MATERIAL

- Becherset
- Wecker
- Rührschüssel
- Rührgerät, Knethaken
- Messer, Löffel
- Tuch zum Abdecken
- Backblech mit Backpapier
- Nudelholz
- Schere
- Schürze
- Topflappen

1

Ein Päckchen Trockenhefe in die Rührschüssel streuen.

Einen blauen Becher lauwarmes Wasser über die Hefe gießen.

3

Drei blaue Becher Mehl hinzufügen.

4

Einen gelben Löffel Salz in die Schüssel geben.

5

Zwei orange Becher Olivenöl in die Schüssel gießen.

Die Zutaten mit dem Rührgerät mit Knethaken 5 Minuten zu einem glatten Teig rühren.

Die Schüssel mit einem Tuch abdecken. Den Wecker auf 30 Minuten einstellen und den Teig solange ruhen lassen.

Wenn der Wecker klingelt, das Tuch von der Rührschüssel nehmen.

9

Den Teig mit dem Nudelholz auf dem Backpapier ausrollen und auf das Backblech legen.

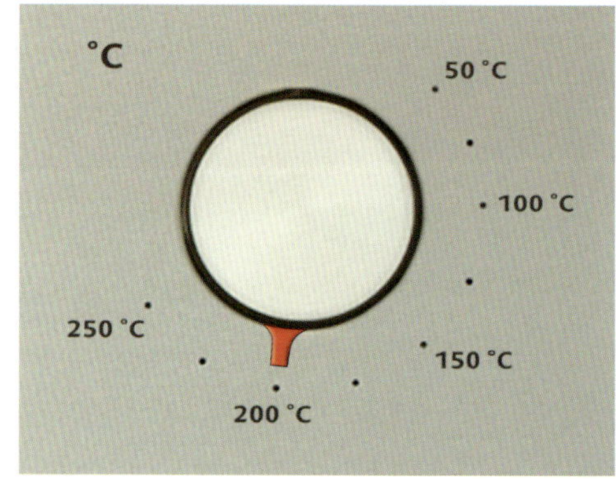

Den Backofen auf 200 °C Ober- / Unterhitze vorheizen.

11

Die Tomatensoße auf den Pizzateig geben und mit dem Löffel gleichmäßig verteilen.

Den geriebenen Käse gleichmäßig auf der Pizza verteilen.

13

Das Blech in den vorgeheizten Backofen schieben. Den Wecker auf 30 Minuten einstellen und die Pizza backen.

14

Wenn der Wecker klingelt, die gebackene Pizza auf dem Blech mit Topflappen aus dem Ofen nehmen. Fertig!

Autorin
Birgit Wenz

Verlag
Stefan Wenz – Becherkueche.de
79288 Gottenheim
info@becherkueche.de
www.becherkueche.de

Vermarktung & Vertrieb
DS Produkte GmbH
Stormarnring 14
22145 Stapelfeld
www.dspro.de

Layout
Goldfieber Werbeagentur, Freiburg
www.goldfieber.com

Fotografie
Flashpointstudio GbR, Freiburg
www.flashpointstudio.de

Bildnachweise
Titel: Fotolia

3. Auflage Juli 2023
ISBN 978-3-9824549-2-4